Arthur and Sampson's method: | La méthode Arthur et Samson :
learn english with humour | l'anglais par l'humour

The Diary of a | Le Journal d'une
church | souris
mouse | de l'église

Graham Oakley

traduction de Françoise Duvignaud

Gallimard

La collection « Arthur et Samson » de Graham Oakley vient tout droit de Grande-Bretagne, où la colonie de souris et son protecteur sont en train de devenir des héros nationaux. Il est vrai que le pinceau et la plume de Graham Oakley ont su « photographier » la vie à l'anglaise et le caractère des personnages de façon exceptionnelle ! Le petit bourg de Wortlethorpe nous est livré comme si nous vivions de l'autre côté de la Manche.

Autant que le texte, il faut lire et relire les illustrations, dont les détails malicieux ne se laissent révéler que peu à peu. Lecture foisonnante de gags, mais aussi de mots glissés dans le décor, les camions qui passent, les pancartes, les noms des rues... Le déchiffrage de ce texte dans l'image se trouve dans les pages de notes à la fin du livre.

Quant aux petits numéros au cours du texte anglais, ils vous renvoient également aux pages de notes finales pour vous expliquer une coutume anglaise, un trait de caractère intéressant, un conseil pratique, comment déjouer un « faux ami », mettre en lumière une expression idiomatique particulièrement utile de celles qui font la vraie langue parlée ou montrer pourquoi la traduction s'éloigne parfois de l'original.

Il existe une autre recette moins traditionnelle pour apprendre, ou plutôt pour se perfectionner en anglais. Les ingrédients en sont : le rire, l'envie de lire, des images « parlantes » et la confiance en soi que donne l'exploit de lire dans l'original, un vrai livre, écrit par un Anglais pour des Anglais. Ayant goûté au succès en compagnie d'Arthur et de Samson, vous découvrirez désormais bien d'autres livres, les journaux... et les joies de la conversation.

Bon voyage !

Christine Baker

ISBN : 2-07-056317-0
Titre original : The diary of church mouse
Publié par Macmillan Children's Books Ldt
© Graham Oakley 1986, pour le texte et les illustrations
© Editions Gallimard 1987, pour la traduction française
Numéro d'édition : 40780
Dépôt légal : Septembre 1987
Imprimé en Belgique par Casterman

My New Year's Resolution this year was to start work right away on the Story of My Life, but I'd hardly finished one sentence before up breezes Arthur and says that really it's best to wait until you're very old before you write your life story because by then you'll know what happens in the last chapter. I said that it was more likely that by then you'd have forgotten what happened in the first. But he says no you wouldn't, not if you kept a diary[1]. Well, I must say, that sounded a pretty good idea which is quite surprising because Arthur doesn't have many of those. For once I'm going to take this advice. So here goes.

Ist January : Absolutely nothing happened.
2nd January : Ditto.
3rd-8th January : Very uneventful[2].
8th-10 January : As above only more so.

Ma bonne résolution du nouvel an, cette année, était de me mettre sans tarder à l'Histoire de ma Vie, mais à peine avais-je fini une phrase qu'Arthur apparut et suggéra que mieux valait attendre d'être très vieux pour commencer l'histoire d'une vie, car alors on pouvait savoir ce qui arrive au dernier chapitre. A quoi je répliquai qu'il y avait des chances que l'on eût alors oublié ce qu'il advenait dans le premier. Mais non, dit-il, pas si l'on tient un journal...
Cela, dois-je dire, me parut une idée assez bonne ; ce qui est tout à fait surprenant, compte tenu de leur rareté chez Arthur. Pour une fois, je vais suivre son conseil. Voici donc :
1er janvier : Il ne s'est absolument rien passé.
2 janvier : Idem.
3.8 janvier : Très peu d'événements.
8.10 janvier : Voir ci-dessus, en pire.

11th January : Started to snow.
12th January : Snow very deep. We sat around the vestry stove all day chatting about this and that. Somebody said that he'd seen an abominable snowman in the churchyard last winter. I said he jolly well hadn't because there are no such things and he said he jolly well didn't care, he jolly well had[3]. I said that it was no use sitting around jolly welling each other all day, what we'd do is we'd have an expedition to the bottom of the churchyard. If we didn't see an A.S. I would be excused my share of the church brass polishing[4] for the rest of the month. If we did I would do *everybody's* share for the rest of the month. So that's what we're going to do.

11 janvier : Il a commencé à neiger.
12 janvier : Neige très profonde. Assis autour du poêle de la sacristie, avons passé la journée à papoter de tout et de rien. Quelqu'un a dit avoir vu un abominable homme des neiges dans le cimetière, l'hiver dernier. Je répliquai que cela m'étonnerait bigrement, car ça n'existe pas ; il répondit qu'il s'en moquait bigrement, et que c'était bigrement vrai. Je fis remarquer que ça ne rimait à rien de se bigrementer et de se chamailler toute la journée et qu'il vaudrait mieux partir en expédition jusqu'au bout du cimetière. Si nous ne rencontrions aucun A.H.N., je serais dispensé d'astiquer les plaques tombales en cuivre de l'église pour tout le reste du mois. Sinon, je ferais la corvée pour tout le monde durant toute cette période. C'est ce que nous allons faire.

13th January : I had a bit of trouble getting the expedition started because everybody was messing about [5] with sledges and snow-balls and things. Give them half a chance to mess about and they'll mess about. By the time we got moving it was the middle of the afternoon. I used my skis which was a mistake because I went down the slopes so fast that nobody could keep up with me so I had to take them off. After that slight hiccup [6] in the arrangements I led the expedition straight to the bottom of the churchyard, just relying on my keen sense of direction [7]. It did seem an awfully long way. By the time we got there it was quite dark.

13 janvier : J'eus quelque mal à faire démarrer l'expédition, car tout le monde s'emmêlait les pattes entre traîneaux, boules de neige, etc.
Offrez-leur la moindre chance de faire les pitres et ils la saisiront. Nous ne démarrâmes qu'au milieu de l'après-midi. Je chaussai les skis, ce qui fut une erreur car je descendis si vite les pentes que personne ne put me suivre. Je dus donc les déchausser. Après ce léger incident de parcours je menai l'expédition jusqu'au bout du cimetière, ne me fiant qu'à mon sens aigu de l'orientation. Cela nous sembla horriblement long.
A notre arrivée, il faisait nuit.

14th–31st January : Much too busy with important affairs to bother about diaries.

14.31 janvier : Bien trop occupé par des affaires de haute importance pour me soucier de journaux intimes.

I admit that what we saw down there *looked* like an abominable snowman and if you'd asked him he would probably have *said* he was an abominable snowman. Actually, he was an Optical Delusion [8] but you couldn't really have expected him to own up to a thing like that. I could probably have persuaded him to, but just at that very moment I suddenly remembered an urgent appointment and had to dash back to the vestry.

Je reconnais que ce que nous vîmes avait l'apparence d'un abominable homme des neiges et, si nous le lui avions demandé, il aurait sûrement affirmé qu'il en était un. De fait, c'était une « désillusion d'optique », mais on ne pouvait pas vraiment s'attendre à ce qu'il l'admette. J'aurais certainement pu l'en persuader si, à ce même instant, je ne m'étais souvenu d'un rendez-vous urgent et n'avais été obligé de retourner dare-dare à la sacristie.

9th-13th February: First there was drizzle, then slush, then fog and now valentines[9]. Everybody's giggling and messing about with crayons and sloppy poems. They're even making a valentine for Sampson! I told them they should make it look as if it was sent to him by that fluffy white object in the cat food ads that he's always drooling over. But they said they'd do no such thing, it was going to be a proper valentine, from them, because they were really quite fond of the old thing. The little crawlers!

Mind you, it's just as well — he fancies himself so much he'd really believe it was from her and then he'd be even bigger headed than usual.

14th February: It's a shame that the Greatest Day in a chap's life should have started with such a rotten breakfast. Unless you're up at the crack of dawn here you get either the cheese rind or the green mouldy bits. Still, what's a little heartburn when a chap is Treading Enchanted Ground?

1st February: Thank goodness January is over. It was enough to make a chap give up keeping a diary. I'll bet even Peeps himself couldn't have made anything interesting out of it. But I feel in my bones that things are really going to start happening this month.

2nd-8 February: I suppose a chap's bones can be wrong.

1er février: Dieu merci, janvier est fini. Il n'en aurait pas fallu plus pour renoncer à tenir un journal. Je parie que Peeps en personne n'aurait rien pu en tirer d'intéressant. Mais au tréfonds de moi-même, je sens que les choses vont vraiment bouger ce mois-ci.

2.8 février: Je suppose que tout être peut se tromper au tréfonds de lui-même.

9.13 février: D'abord la bruine, puis la gadoue, le brouillard ensuite, et maintenant les cartes de la Saint-Valentin. Et tous de pouffer de rire et de s'emmêler les pattes entre crayons et poèmes à la guimauve. Ils font même une carte pour Samson! Leur ai suggéré de faire en sorte qu'elle semble venir de cette boule-de-poils-blancs-ébouriffée-des-pubs-de-boîtes-à-chat dont il rêve toujours. Mais ils dirent qu'ils n'en feraient rien, que cela serait une carte authentique, de leur part, parce que leur affection pour le brave garçon était des plus sincères. Petits lèche-bottes!

Remarquez, ce n'est pas plus mal. Il a une si haute opinion de lui-même qu'il aurait pu croire que la carte venait vraiment d'elle, et il aurait eu la tête encore plus grosse que d'habitude.

14 février: Quel dommage que le Plus Beau Jour de toute ma vie ait commencé par un petit déjeuner aussi nul. A moins de vous lever au point du jour ici, vous n'obtiendrez que la croûte du fromage ou les bouts déjà moisis. Toutefois, toucher la Terre promise vaut bien un petit sacrifice.

All a chap can do is to smile a jaunty mouse-of-the-worldish kind of smile [10] just to hide from everybody that he's nothing but a Blighted Existence covered with fur.

3nd March : We went out in the fields and flew our kites today. It struck me as I watched them that Progress has turned its back on kites. What they need is for some Great Genius to come and drag them into the twentieth century. Come to think of it [11] I'm not doing anything myself for the next few weeks.

4th-6th March : Brought my mind to bear on the problem and I think I can say that already I have taken a great stride for mankind, kitewise [12].

Tout ce que l'on peut faire alors, c'est sourire crânement d'un air guilleret pour cacher au monde que vous n'êtes, au fond, qu'une existence dérisoire dans une boule de poils.

3 mars : Sommes allés dans les champs aujourd'hui pour essayer nos cerfs-volants. Ce qui m'a sauté aux yeux en les regardant, c'est que le progrès boude les cerfs-volants. Ce qu'il leur faut, c'est un grand Génie qui vienne les amener dans le XXe siècle. Cela me fait penser que je n'ai pas de plans précis pour les semaines à venir.

4.6 mars : Ai concentré mes esprits à résoudre ce problème et puis affirmer que j'ai déjà fait faire un grand pas à l'humanité, question cerfs-volants.

Yes, I, Humphrey, am the valentine of an Illustrious Female about whom I shall breathe no word except to say that the first letter of Her name, if you don't count the two or three feet of titles in front of it, is the fourth letter of the alphabet, approximately speaking. And now my lips are forever sealed on this subject. Needless to say, Sampson wasn't at all interested in his valentine. Mind you, compared with a Certain Valentine, about which I shall remain eternally silent, it is pretty ordinary not to say downright common, but anybody as blatantly ginger as him is jolly lucky to get a valentine at all.

15th-29th February : It's difficult for a chap who's been courted by Blue Blood to write about the humdrum daily round but I suppose I shall have to make the effort. Not that anything worth mentioning has happened these last few days.

1st March : February gone and not another word from the Palace but that's royalty for you. They just pop out of nowhere, trifle with a chap's affections and then cast him aside like an old boot.

Oui, moi, Humphrey, suis l'élu d'une Illustre Belle dont je ne soufflerai mot, sinon pour dire que la première lettre de son nom, si vous passez sous silence les deux ou trois lignes de titres honorifiques qui s'inscrivent devant, est la quatrième lettre de l'alphabet, ou à peu près. Désormais, à jamais, mes lèvres seront closes sur ce secret. Inutile de le dire, sa carte n'intéressa nullement Samson. Certes, comparée à une Certaine Carte, sur laquelle je garderai à jamais le silence, la sienne était bien ordinaire, pour ne pas dire tout à fait commune, mais pour une créature d'un roux aussi voyant, c'est déjà une chance de recevoir une carte de la Saint-Valentin.

15.29 février : Difficile pour une créature courtisée par le Sang Bleu d'écrire sur la banalité du quotidien, mais je suppose que je dois faire cet effort. Non que quoi que ce soit de remarquable soit advenu ces jours-ci.

1er mars : Février s'est achevé, pas un mot du Palais. Voilà bien comment elles sont, ces Altesses Royales. A peine surgies de nulle part, elles se jouent de votre affection et vous rejettent comme une vieille chaussette.

7th March : Enthusiastic interest shown in my new kite.
8th-16th March : Worked night and day on revolutionary new kite. Because of rain and dull weather, morale[13] is at a low ebb[14] in the vestry but my new kite will put the colour back into their drab lives.
17th March : New kite attracted a gigantic amount of attention.

7 mars : Mon nouveau cerf-volant suscite un grand enthousiasme.
8.16 mars : Travaillé jour et nuit sur un cerf-volant révolutionnaire. Le moral est bien bas dans la sacristie, à cause de la pluie et du temps couvert, mais mon nouveau cerf-volant mettra de la couleur dans leur vie terne.
17 mars : Mon nouveau cerf-volant a provoqué un intérêt vraiment gigantesque.

18th-25th March : Four days of inspired work and I've altered the course of Kite History. I've given civilisation its first acrobatic kite !
26th March : Everybody forced to take notice of new kite.

18.25 mars : Quatre jours de travail inspiré ; ai changé le cours de l'Histoire du Cerf-Volant. Ai doté la civilisation de son premier cerf-volant acrobatique.
26 mars : Tout le monde a été obligé de le remarquer.

27th-30th March : No sleep. I am creating the Ultimate Kite. Tomorrow the world will be astounded.
31st March : Blow the world, it just isn't ready for my ideas. I wash my hands of it. Posterity will know where to lay the blame.

27.30 mars : N'ai pas dormi. Je crée l'Ultime Cerf-Volant. Le monde, demain, en sera abasourdi.
31 mars : Fichtre le monde, il n'est pas assez mûr pour accepter mes idées. M'en lave les pattes. La postérité saura sur qui rejeter le blâme.

1st April : Everybody's telling everybody else that there's a cat behind them or that there's a knot in their tails or some such nonsense. I've no time for it myself — everybody's so easily fooled that all the challenge has gone out of April Fool's Day. Anyway, I was too busy. I had a message to rush across to the rectory and take a phone call. They'd rung off by the time I got there. I waited all day but they forgot to ring back which isn't surprising. After all, royalty's much too busy opening dog shows and parliaments and things [15] to remember everything.

2nd-5th April : You can tell spring is here by all the sloppy carryings-on [16]. Personally, I just tend to get poetic though sometimes I get hay fever as well.

1ᵉʳ avril : Ils passent leur temps à se dire les uns aux autres : attention au chat derrière toi, ou : ta queue fait des nœuds, et autres idioties. En ce qui me concerne, je n'ai pas de temps à perdre avec ces balivernes, chacun est si facilement berné que le 1ᵉʳ avril n'a plus rien d'excitant. De toute façon, j'ai bien eu trop à faire. J'avais reçu le message de foncer au presbytère prendre un appel téléphonique. Ils avaient raccroché le temps que j'arrive. Passé la journée à attendre mais ils n'ont pas rappelé, ce qui n'est guère surprenant. Après tout, la famille royale est bien trop occupée à inaugurer expositions canines, parlements et compagnie pour se souvenir de tout.

2.5 avril : On peut dire que le printemps est arrivé avec tout son tralala de mièvreries. Quant à moi, j'ai simplement tendance à me sentir l'âme poétique, bien que parfois également sujet au rhume des foins.

6th April : We went for a ramble today. Arthur organised it so of course it tippled down all day. The day wasn't completely wasted though. I've often asked myself : "What is the *reason* for Sampson ?" Well, now I think I know.

7th-18th April : Raining all the time. We couldn't go out so I rounded everybody up and recited my new poem called "Lament For a Cowslip Scoffed by Greenfly".

19th-29 April : Nothing much happened except that Sampson has picked up fleas again.

30th April : The parson invited us over to the rectory to watch TV. During a quiet bit in the programme I took the opportunity of reciting my "Ode to a Lesser Periwinkle". It was too dark to see anybody but judging by all the ah-ing and oh-ing they must have been deeply moved.

6 avril : Sommes partis en randonnée aujourd'hui. Arthur l'avait organisée, et, bien sûr, il est tombé un déluge sans arrêt. La journée toutefois ne fut pas tout à fait gâchée. Je m'étais souvent demandé : « Quelle est donc la raison d'être de Samson ? » Désormais je pense l'avoir découverte.

7.18 avril : Pluie incessante. Impossible de sortir, alors ai rassemblé tout le monde et leur ai déclamé mon dernier poème, « Elégie pour une Primevère Puceronnée ».

19.29 avril : Rien de très nouveau, sinon que Samson a encore attrapé des puces.

30 avril : Invitation du pasteur à regarder la télé au presbytère. Ai profité d'une accalmie dans les programmes pour réciter mon « Ode à une Humble Pervenche ». Il faisait trop sombre pour voir l'assistance, mais, à en juger par les « ooh ! » et les « aah ! », ils ont dû être fort émus.

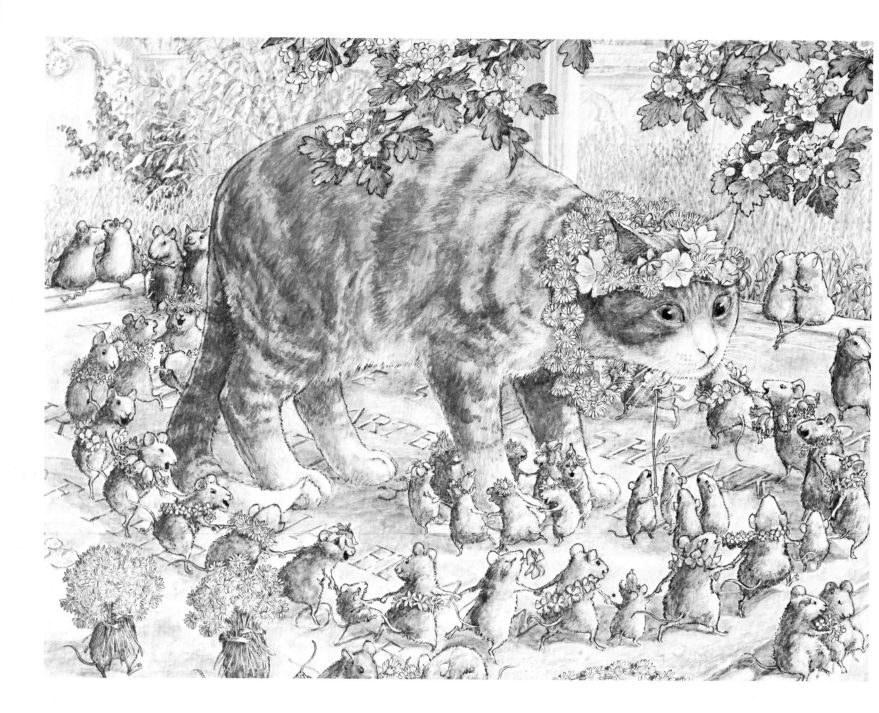

16th-31st May : We've been lying in the sun for days. It's lovely but it doesn't make a very interesting diary so I thought that if we could all go on strike it would liven it up a bit. I called a meeting and put it to everybody. I told them how we could shout slogans like "Reverend Simpkins, out out out !" and have pickets and refuse to do things like polishing the brasses. But the ladies said we'd do no such thing because if the brasses weren't polished they wouldn't be able to use them as mirrors ! So that was that. I'll bet Napoleon never had to put up with that kind of thing.

16.31 mai : Bains de soleil depuis quelques jours. C'est très agréable mais cela ne fait pas un journal très passionnant ; je pense que si nous nous mettions tous en grève, cela ferait un peu d'animation. J'ai convoqué tout le monde pour leur soumettre mon idée. Je leur ai proposé des slogans comme « Révérend Simpkins, dehors, dehors, dehors ! », des piquets de grève et notre refus par exemple de polir les plaques de cuivre. Mais ces dames ont rétorqué que si les cuivres n'étaient pas astiqués, elles ne pourraient s'en servir comme miroirs. Ainsi en fut-il. Je parie que Napoléon n'a jamais eu à supporter ce genre de choses...

1st-6th May : Arthur found an old parish magazine with a picture of a May Queen in it [17]. That started a lot of the soppier individuals clamouring to have a May Day and Queen ourselves. So now we're all making daisy-chains and crowns of flowers.

7th May : We had our May Day today. It's a few days late but we're not sticklers for details [18]. We had to make Sampson Queen of the May because he was the only one with a head big enough to put the crown of flowers on.

8th-15th May Just lazing about [19] in the churchyard. Sampson is keeping out of sight because ever since he was Queen of the May everybody's been calling him Daisy.

1er.6 mai : Arthur a trouvé un vieux journal de la paroisse avec une image de la Reine de Mai. Ce qui a déclenché chez bon nombre d'individus le désir d'avoir notre Premier Mai et notre Reine. Nous voilà en train de tresser guirlandes de marguerites et couronnes de fleurs.

7 mai : Avons célébré notre Premier Mai aujourd'hui. Avec quelques jours de retard, mais nous n'en sommes pas à un détail près. Il a fallu élire Samson Reine de Mai, car c'était le seul à avoir la tête assez grosse pour porter la couronne de fleurs.

8.15 mai : Farniente au cimetière. Samson se fait invisible car depuis son couronnement tout le monde l'appelle Marguerite.

1st June : The way everybody treated my suggestion about going on strike shows that there's absolutely no Team Spirit in the vestry. But I've got an idea that will alter all that. I told Arthur about it and he agrees that team sports [20] are what we need to weld the vestry into a Band of Brothers. Well, Sisters too, I suppose, but they'll jolly well to stop carrying on [21] about mirrors and things.

1er juin : Le sort qu'ils ont fait à mon idée de grève montre à quel point l'Esprit d'Equipe fait défaut à la sacristie. Mais mon plan va tout changer. J'en ai parlé à Arthur et il pense aussi que les sports d'équipe, c'est ce qui nous manque pour souder la sacristie en un groupe de Frères. Et de Sœurs aussi, je suppose, mais elles feront bigrement bien de cesser leurs radotages sur les miroirs et autres babioles.

2nd June : Being democratic we had a meeting today to decide which team sports we all want to play. The most votes were for kiss in the ring, next came marbles and then I spy with my little eye [22]. Obviously they're not yet ready for democracy so me and Arthur told them what they wanted to play and that is football and cricket [23]. As their leaders, me and Arthur will play tennis because it's posher.

3rd-10th June : Busy making bats and balls, etc.

11th-28th Junes : Everybody practising hard. Team Spirit not particularly noticeable yet but under pressure, in the matches tomorrow, it will blossom like a beautiful flower.

29th June : It didn't.

30th June-3rd July : Well, so much for Arthur's ideas. Not many people were on speaking terms for a few days after the matches but time and the nice warm weather are slowly repairing the damage.

2 juin : Comme nous sommes démocratiques, nous avons tenu une assemblée générale pour décider des sports d'équipe qui feraient l'unanimité. Les votes sont allés en majorité à « Nous n'irons plus au bois, les lauriers sont coupés », ensuite au jeu de billes, enfin à « Mon petit doigt m'a dit ».

Manifestement, ils ne sont pas prêts pour la démocratie, si bien qu'Arthur et moi leur avons dit à quoi ils voulaient jouer, c'est-à-dire au football et au cricket. En tant que chefs, Arthur et moi jouerons au tennis. C'est plus chic.

3.10 juin : Occupés à fabriquer battes et balles...

11.28 juin : Chacun s'entraîne ferme. Esprit d'équipe encore peu apparent, mais sous la pression, lors des matches de demain, il s'épanouira comme une belle fleur.

29 juin : Il n'a pas fleuri.

30 juin.3 juillet : Voilà ce que ça donne les idées d'Arthur ! Peu de gens s'adressaient encore la parole quelques jours après les matches, mais le temps et la belle saison réparent doucement les dommages.

4th July : Lovely weather. Everybody feeling much more reasonable. Me and Arthur went for a stroll up town. We saw Sampson window-shopping.

4 juillet : Temps magnifique. Chacun se sent bien plus raisonnable. Moi et Arthur sommes allés flâner en ville. Nous avons vu Samson faire du lèche-vitrines.

5th-10th July : Sampson suddenly taken to moping. Everybody is getting quite worried about him.

11th July : Some of the soppier ladies insisted that Sampson was followed when he went shambling off today. They get very motherly towards him when he's in one of his droopy moods. I went along for purely literary reasons.

5.10 juillet : Samson se met soudain à dépérir. Il cause à tous grand souci.

11 juillet : Quelques souris parmi les plus sentimentales ont absolument voulu que quelqu'un suive Samson quand il est sorti en traînant les pattes aujourd'hui. Elles se sentent très maternelles envers lui quand il est dans un de ses accès de vague à l'âme. Le suivis pour des raisons purement littéraires.

Sampson went straight to the pet shop [24] where we'd seen him the other day and sat gazing at nothing in particular. He was still there when we left to come home.

Samson est allé droit vers le magasin d'animaux familiers où nous l'avions vu l'autre jour et s'est assis sur son derrière, les yeux dans le vague. Il était encore là quand nous revînmes au bercail.

12th-18th July : Sampson still flopping about [25] the vestry. There's always a bevy of females gazing mournfully at him and burbling [26] about Time healing broken hearts and that kind of stuff.

19th-29th July : Sampson still doing everything that the love-lorn do in sloppy poems. Everything but lose his appetite that is. Some of us wait by his saucer of condensed milk every teatime, hoping, but he always turns up and scoffs the lot.

30th July : Sampson's moping has gone on too long. Being a bit of an authority in the Tender Feelings department I decided I'd have a little chat with him and straighten him out. I took the warm, gentle, sympathetic approach. I told him that cherishing the memory of an Illustrious Female was one thing, but getting all gooey over somebody who looked like a moth-eaten feather duster was just the sign of feeble mind.

12.18 juillet : Samson continue à traînasser autour de la sacristie, entouré d'une troupe de damoiselles qui le couvent d'un œil affligé et gazouillent toujours sur le thème du Temps-qui-Répare-les-Cœurs-Brisés et autres fariboles.

19.29 juillet : Samson encore dans son rôle de héros en mal d'amour digne de poèmes à l'eau de rose. Il a tous les symptômes, sauf la perte d'appétit. Certaines souris attendent près de sa soucoupe de lait concentré, chaque jour à l'heure du goûter, pleines d'espoir, mais invariablement il arrive et siffle tout.

30 juillet : La déprime de Samson a assez duré. Faisant en quelque sorte autorité dans la carte du Tendre, je décidai de tailler une bavette avec lui pour lui remonter le moral. Je choisis d'utiliser une approche chaleureuse, douce, amicale. Je lui dis que chérir la mémoire d'une Femelle Illustre était une chose, mais que se morfondre pour une créature qui ressemble à un plumeau-mangé-par-les-mites n'était que la marque d'un esprit faible.

Well, that's the last time I shall try comforting anybody, I can tell you. I was jolly lucky to escape with my life.

31st July : Still boiling hot. We all went to the rectory lily pond because it's nice and cool there. Sampson mooched along as well just to put a damper on things. Personally, I don't swim. I could if I tried but I prefer sitting on a lily pad and having meaningful conversations. Suddenly, for some reason, Sampson tried to join us. You can imagine what happened ! I don't know if you've ever heard a cat laugh ?

C'est bien la dernière fois, je puis vous l'affirmer, que j'essaie de consoler quelqu'un. J'ai eu bien de la chance d'avoir la vie sauve.

31 juillet : Toujours une chaleur brûlante. Sommes tous allés à la mare aux nénuphars du presbytère ; c'est un coin frais et agréable. Samson nous accompagnait sans enthousiasme, histoire de jouer le rabat-joie. Quant à moi, je ne nage pas. Je pourrais si je le voulais, mais je préfère m'asseoïr sur une feuille de nénuphar et tenir des conversations de haut niveau. Brusquement, nul ne sait pourquoi, Samson décida de nous rejoindre. Imaginez ce qui arriva ! Je ne sais pas si vous avez déjà entendu un rire de chat ?

Well, it's not a pleasant sound, I can tell you, particularly when your ears are full of water. What's more he purred without stopping for the rest of the day. He seems to have forgotten the Feather Duster.

Eh bien, ce n'est pas un son des plus agréables, parole de souris, surtout si vos oreilles sont pleines d'eau. Et de plus, il ronronna sans arrêt tout le reste de la journée. Il semble avoir oublié son Plumeau-à-Poussière.

1st August : We had a long discussion about where to go for our summer holidays. I was all for Tibet but we settled for Wortlethorpe Common [27]
2nd August : We travelled to the Common today and found a nice spot to stay under a shady clump of nettles.
3rd-30th August : I haven't bothered with my diary very much for the past week or two. If you've been on one holiday you've been on the lot.

1er août : Nous eûmes une longue discussion sur la destination de nos vacances d'été. J'étais en faveur du Tibet mais nous nous mîmes d'accord pour le Pré Communal de Wortlethorpe.
2 août : Avons fait le chemin jusqu'au Pré Communal et trouvé un endroit charmant à l'ombre d'un massif d'orties.
3.30 août : Me suis assez peu préoccupé de mon journal ces deux dernières semaines. Partez en vacances une fois, vous les connaissez toutes.

31st August : Back to the vestry and the tensions of Modern Life.
1st-5th September : Settling back into the daily routine.
6th September : I can hardly bring myself to write. The bloom has gone off our lives. We're hounded from pillar to post. It's that blinking cat again ! He's found a new-lady-friend and she's come to live in the vestry. She's a monster and she chases mice ! Trust that ginger oaf to find somebody with unnatural habits. Why couldn't he have been faithful to the Feather Duster or have taken up with a vegetarian ?

---

31 août : De retour à la sacristie et aux tensions de la Vie Moderne.
1er.5 septembre : Nous installons de nouveau dans la routine quotidienne.
6 septembre : J'ai bien du mal à reprendre la plume. Tout charme a disparu de notre vie. Sommes traqués de tous côtés. C'est encore ce satané chat ! Il s'est trouvé un nouveau flirt et elle est venue s'installer à la sacristie. C'est un monstre et elle chasse les souris ! Faites confiance à cet imbécile de rouquin pour se dénicher quelqu'un aux mœurs contre nature. Pourquoi ne pouvait-il pas rester fidèle à son plumeau ou choisir une chatte végétarienne ?

7th-18 September : Life has become a nightmare. It's a miracle that the Monster hasn't had one of us for her dinner. It's not for lack of trying. Sampson is so besotted he thinks she's chasing us around because she's got a playful disposition.

7.8 septembre : La vie a tourné au cauchemar. Un vrai miracle que le monstre n'ait encore dégusté l'un de nous pour son dîner. Ce n'est pas faute d'essayer. Samson est si amouraché qu'il croit qu'elle nous fait la course parce qu'elle est d'un tempérament joueur.

19th September: Me and Arthur went across to the rectory to complain to the parson. He was out so we had a look around just to see what he's been up to. In the bathroom we saw something that gave us a terrific idea. I say "we" because I like Arthur to feel he's making a contribution, poor old sausage.

19 septembre : Arthur et moi sommes allés au presbytère nous plaindre au pasteur. Il était sorti et nous jetâmes un œil un peu partout juste pour nous tenir au courant. Dans la salle de bains nous avons vu quelque chose qui nous a donné une idée fantastique. Je dis « nous » car je ne voudrais pas qu'Arthur se sente hors du coup, pauvre vieille noix !

20-24th September: The parson's shaving mirror was very heavy. It took us three days to get it to the vestry. Then we had to wait ages until Sampson and the Monster went out. We got it all fixed up in the end, though.

25th September: Spent the whole day trying to find a volunteer to act as bait to lure the Monster. I would have volunteered myself but I'm highly strung.

26th September: Sampson and the Monster came in at teatime. There was a bit of hitch in my plan because the volunteer tried to de-volunteer. We had to promise the little creep quintuple rations for a whole week before he'd carry on. When he at last did, the plan worked beautifully and the Monster fled in terror. Sampson went with her.

20.24 septembre : Le miroir à barbe du pasteur était très lourd. Nous avons mis trois jours pour le traîner jusqu'à la sacristie. Il fallut ensuite attendre des siècles que Samson et le monstre sortent. Enfin, finalement, tout fut installé.

25 septembre : Avons passé la journée à trouver un volontaire pour servir d'appât et attirer le monstre. Me serais bien proposé, mais j'ai les nerfs très fragiles.

26 septembre : Samson et le monstre sont arrivés à l'heure du thé. Il y eut un petit accroc à mon plan parce que le volontaire a essayé de se dé-volontariser. Nous dûmes promettre à cette petite peste de quintupler ses rations pour toute la semaine avant qu'il ne se décide. Quand il l'eut fait, le plan fonctionna à la perfection. Le monstre s'enfuit terrorisé et Samson partit avec elle.

27th September: Sampson still not back. They're all getting very sad, they think they'll never see him again. My hopes are rising.

28th September: Hopes dashed. Sampson has come home. I might have known it would take more than love to keep him away from his condensed milk and Fat-Kat.

29th-30th September: The best part of the year is just starting. We all went into the woods and gathered the earliest hazelnuts. We had a bit of bother with a local but Sampson cleared that up once we'd overcome his nervous disposition.

27 septembre : Samson toujours pas de retour. La tristesse les envahit tous. Ils pensent qu'ils ne le reverront plus jamais. Mes espoirs sont en hausse.

28 septembre : Espoirs anéantis. Samson est rentré. J'aurais dû me douter qu'il fallait plus que l'amour pour le retenir loin de son lait concentré et de son Ron-Ron.

29.30 septembre : Le meilleur moment de l'année commence. Sommes tous allés dans les bois ramasser les premières noisettes. Eûmes maille à partir avec un indigène, mais Samson a rétabli la situation, quand nous l'eûmes calmé.

1st October : The parson is definitely getting grumpier. He really seemed quite annoyed at finding his shaving mirror under the surplice cupboard. He looks very funny, too. There are lots of little bits of sticking plaster all over his face — I don't know what he's been doing.

2nd-6th October : We had a super time in the rectory orchard.

1ᵉʳ octobre : Décidément, le pasteur est de plus en plus grognon. Il a paru vivement contrarié de trouver son miroir à barbe sous le placard aux surplis. Et puis, il a l'air très bizarre. Il a le visage couvert de petits bouts de sparadrap : je me demande bien pourquoi...

2.6 octobre : Moments fabuleux dans le verger du presbytère.

7th-11th october : We've just spent a lovely few days in the churchyard.

7.11 octobre : Venons de passer quelques jours délicieux dans le cimetière.

12th-16th October : All of us had a heavently four days on the Common.

12.16 octobre : Nous nous sommes tous offert quatre jours paradisiaques sur le Pré Communal.

17th-21st October : What a lovely time we've been having in the garden next door.

17.21 octobre : Quels bons moments dans le jardin du voisin.

22nd-26th October : We've just passed a few scrumptious days in the rectory garden.

22.26 octobre : Venons de passer quelques jours savoureux dans le jardin du presbytère.

27th-30th October : All down with upset stomachs. Must be some bug going around.

27.30 octobre : Tous malades avec l'estomac barbouillé. Il doit y avoir un microbe qui court.

31st October : We were all well enough to have a terrific Hallowe'en scaring the wits out of Samson [28].

31 octobre : Sommes assez rétablis pour fêter un « Halloween » du tonnerre, à rendre Samson fou de frayeur.

1st-4th November: Sampson has been sulking because we scared him the other night. He knows that one or two of us like just a *soupçon* of condensed milk before we go to bed so he's been getting his own back by licking his saucer bone dry. Rather petty I call it.

5th November[29]: We all watched Wortlethorpe Corporation's firework display this evening. Everybody was saying what a pity it was it only happened once a year. That got me thinking.

6th November: I've been asking myself «what is a firework?». Well, it's nothing more than a paper tube full of black stuff. I know because I saw a choirboy cut on in half. I'm going to make some, then we can have our own firework display whenever we want one.

7th-14th November: Making the paper tube was easy but I'm having trouble with the black stuff, it always comes out grey. Perhaps I'm using too much bone meal and not enough sump oil.

1er.4 novembre : Samson boude parce que nous lui avons fait peur l'autre nuit. Il sait fort bien qu'un ou deux d'entre nous aiment bien un simple soupçon de lait concentré avant d'aller se coucher. Alors, il se venge en lèchant sa soucoupe à fond. Vraiment mesquin, si vous voulez mon avis.

5 novembre : Avons tous assisté au feu d'artifice de la Corporation de Wortlethorpe ce soir. Tout le monde disait qu'une fois par an était bien peu. Cela m'a donné à réfléchir.

6 novembre : Je me suis demandé : « Qu'est-ce qu'un feu d'artifice ? » Eh bien, rien de plus qu'un tube de carton rempli de poudre noire. Je le sais parce que j'ai vu un enfant de chœur en casser un en deux. Je vais en fabriquer, comme cela nous aurons notre propre spectacle quand nous le voudrons.

7.14 novembre : Fabriquer le tube fut chose aisée, mais la poudre noire me donne plus de mal, ça sort toujours gris. Peut-être que j'utilise trop de cendre et pas assez d'huile de carter ?

15th November: I've done it. Some bits of firelighter and a few spoonfuls of the verger's black paint did the trick, it's a bit gooey[30] but it's as black as ink. I'll try it out tomorrow.

---

15 novembre : Ça y est, j'ai réussi. Des bouts de cire de paraffine et quelques cuillerées de la peinture noire du bedeau ont fait l'affaire, c'est un peu gluant mais c'est d'un noir d'encre. Je tente l'expérience demain.

16th November: Things didn't turn out quite as well as I'd hoped but it's promising. The trouble was it was raining and so I had to let it off in the vestry. If only the smoke had been coloured it would have been a beautiful firework. I could have called it Emerald Cloud or Magenta Mist. As it is I could call it Black Miasma but I don't think it'll ever catch on somehow.

---

16 novembre : Ça ne s'est pas exactement passé comme je l'avais prévu mais c'est prometteur. L'ennui, c'est qu'il pleuvait et que j'ai dû le faire partir dans la sacristie. Si seulement la fumée avait été de couleur, cela aurait fait un feu d'artifice magnifique. J'aurais pu l'appeler Nuage d'Emeraude ou encore Brume Magenta. Tel que c'est, je pourrais le baptiser Miasme Noir, mais je n'ai pas l'impression que cela fera fureur.

I'll bet the chap who invented the telephone got a wrong number with his very first call.

18th-25 November: We've got the vestry back in order, more or less, and the painters and plasterers have gone. Everybody is dead against me making them any more fireworks. You just can't do some people a favour.

26th-30 November: Everybody's getting very worried because there's only twenty or so shopping days to Christmas. We never ever do any Christmas shopping but you can't help getting a bit panicky just the same.

1st December: Everybodys's saying how much they hate Christmas but as the children love it so much they're prepared to put up with having a week off work and staying in bed late and eating twice as much as usual just for their sake.

2nd December: Myself I think a bit of Christmas Spirit is quite a good thing. So does Arthur and a few others so we're going to go carol singing[32] just to spread some of it around Wortlethorpe.

3rd-8th December: Practising carols in the vestry. We weren't very good at first but now, if we really try, we all get to the end of even the longest carol within seconds of each other.

17th November: I don't know why everybody's making such a fuss about[31] what happened. So all right, the vestry floor is awash and the walls are wringing and the stove's gone out and the surplices are ruined and the cheese is covered with soot and the plaster's falling off the ceiling and the whole place smells absolutely awful, but you expect these little setbacks with something new.

17 novembre : Je ne comprends pas pourquoi ils font une montagne de ce qui s'est passé. D'accord, le parquet de la sacristie est inondé, les murs dégoulinent, le poêle est éteint, les surplis sont inutilisables, le fromage est couvert de suie et le plâtre tombe du plafond ; et il y a cette terrible odeur qui empeste, mais il faut bien s'attendre à de légers inconvénients avec toute invention.

Je suis sûr que le type qui a inventé le téléphone a obtenu un mauvais numéro à son premier appel.

18.25 novembre : Avons remis la sacristie en ordre, enfin plus ou moins. Les peintres et les plâtriers sont partis. Tous le monde est totalement opposé à ce que je leur fabrique d'autres feux d'artifice ; il y a des gens qui n'aiment pas qu'on leur rende service.

26.30 novembre : Tout le monde est très anxieux car il ne reste que vingt jours environ pour les achats de Noël. Jamais, au grand jamais, nous ne faisons d'achats de Noël ; mais on ne peut pas s'empêcher de paniquer quand même.

1er décembre : Ils disent tous à quel point ils détestent Noël, mais, comme les enfants l'aiment tant, ils sont prêts à accepter une semaine de congé, faire la grasse matinée et manger deux fois plus que d'habitude, tout cela pour le bien des enfants.

2 décembre : Pour ma part, je pense que l'Esprit de Noël est une bonne chose ; Arthur et quelques autres le pensent aussi. Nous allons donc chanter les cantiques de porte à porte pour le répandre un peu dans Wortlethorpe.

3.8 décembre : Répétitions des chants de Noël dans la sacristie. Au départ, nous n'étions pas très bons, mais maintenant, avec un effort, nous arrivons même au bout du plus long cantique tous ensemble, à quelques secondes les uns des autres.

So tomorrow night we'll go out and start spreading the Christmas Spirit.

9th December: No more Christmas Spirit spreading for me, I can tell you. We went out in the evening and even though Sampson insisted on tagging along we were brimming over with Christmas Spirit. At the first likely-looking house we came to we let fly with "The First Noel". Blow me if Sampson didn't join in. Well, that did it.

Aussi sortirons-nous demain soir pour commencer à faire partager l'Esprit de Noël.

__9 décembre :__ C'en est fini pour moi de répandre l'Esprit de Noël, parole de souris. Sommes sortis le soir venu et, bien que Samson insistât pour nous accompagner, notre cœur était plein à déborder de l'Esprit de Noël. A la première maison susceptible d'être accueillante, nous lançâmes « le Premier Noël ». Eh bien, il a fallu que Samson s'en mêle. Ça n'a pas raté !

It was jolly nearly our last Noël. If we hadn't got back to the vestry in double-quick time [33] we'd have frozen to death. Me and Sampson no longer have anything to say to each other.

Si nous n'étions revenus à la sacristie vitesse grand V, nous aurions gelé... jusqu'à la moelle. Samson et moi n'avons désormais plus rien à nous dire.

10th December: We've been planning our Christmas party. Everybody just assumes that Father Christmas will show up but they should know by now that you really can't rely on him. I shall have to be prepared to fill the gap.

11th-14th December: Making a suit like Father Christmas's just in case. Found a nice secret place behind the altar to work.

16th December: In the organ loft there's a large box full of Smarties and peanuts and dolly mixtures and jelly babies and things that the choir master has confiscated during choir practice. I tested them thoroughly for flavour [34] and as they were all right I borrowed some. They'll make lovely presents if F.C. doesn't come. Feeling rather sick. I think I'll go to bed early.

__10 décembre :__ Nous commençons à organiser notre fête de Noël. Ils sont persuadés que le Père Noël fera son apparition, mais ils devraient savoir maintenant que l'on ne peut pas vraiment compter sur lui. Il va falloir que je me prépare à assurer le relais.

__11.14 décembre :__ Fabrication d'un costume de Père Noël juste au cas où... Trouvé une bonne cachette pour travailler, derrière l'autel.

__16 décembre :__ Dans la tribune d'orgue, il y a une grande boîte de Smarties, cacahuètes, bonbons assortis, boules de gomme et autres délices, que le maître de chapelle a confisquée pendant les répétitions du chœur. Les ai goûtés tous, à fond, pour vérifier le goût et en ai emprunté quelques-uns, car ils étaient corrects. Ça fera de chouettes cadeaux si le P.N. ne se montre pas. Me sens patraque. Irai me coucher tôt.

18th-21st December: Finished suit, it looks really good. I hope F.C. doesn't show up. It would be a shame for all this work to be wasted.

__18.21 décembre :__ Costume fin prêt, il a beaucoup d'allure. J'espère que le P.N. ne se montrera pas. Ce serait honteux d'avoir fait tout ce travail pour rien.

22nd December: We all went out collecting Christmas decorations. It was nice but a bit dangerous.

23rd December: We spent the whole day putting up Christmas decorations.

24th December: We had the party today and what a shambles it was. Father Christmas didn't show up, just as I'd expected, so at about six o'clock I went and put my F.C. suit on. When I got back the place was crawling with Father Christmases!

---

22 décembre : Sommes tous sortis chercher des décorations de Noël. Agréable mais quelque peu risqué.

23 décembre : Avons passé toute la journée à les accrocher.

24 décembre : Avons fait notre grande fête aujourd'hui et quel fiasco ça a été ! Le Père Noël ne s'est pas montré, comme je l'avais soupçonné, alors, vers 6 heures, je suis allé enfiler mon costume de P.N. Quand je suis revenu, la place était noire de pères Noël !

If people didn't go doing things behind other people's backs we wouldn't get into messes like this. Now all the kids are going to think that there's fifty-seven Father Christmases and expect fifty-seven presents every Christmas.

25th December: Another Christmas Day. Had a huge breakfast, slept all morning. Stupendous dinner, slept all afternoon. Colossal tea, slept all evening. Gigantic supper, couldn't sleep a wink all night.

26th December: Because there were fifty-seven Father Christmases all doling out presents[35], each kid got a mountain of peanuts and Smarties and jelly babies and dolly mixtures, etc. Needless to say they had a pretty good go at scoffing the lot and now they're all rather bilious. Their mothers are on the warpath and fifty-seven of us chaps are in hiding. I sometimes wish the United Nations would jolly well veto Christmas.

27th December: It's my turn to polish the brasses so... Oh, bother, I'm not writing any more of this stuff. I might have known that Arthur's advice would be useless. I mean, who wants to read about us lot messing about in the vestry? I'm going back to writing the Story of My Life. If I'd gone on with it instead of listening to Arthur I'd probably, by now, be up to the bit where I'm a stunt mouse in Hollywood or perhaps the even better bit where I'm on a polar expedition battling my way through blizzards to the source of the Amazon.

Si les gens ne manigançaient pas derrière le dos des voisins, cela ne ferait pas de pareils cafouillis ! Maintenant, les gamins vont penser qu'il y a cinquante-sept pères Noël et s'attendre à cinquante-sept cadeaux à chaque Noël.

25 décembre : Noël une fois de plus. Enorme petit déjeuner ; dormi toute la matinée. Déjeuner gargantuesque ; dormi tout l'après-midi. Goûter colossal ; dormi toute la soirée. Souper pantagruélique, n'ai pu fermer l'œil de la nuit.

26 décembre : Parce qu'il y a eu cinquante-sept pères Noël qui distribuaient des cadeaux, chaque enfant a reçu une montagne de cacahuètes, Smarties, bonbons variés et réglisses assorties, etc. Inutile de dire qu'ils ont fait un splendide effort pour tout engloutir et que maintenant ils ont plutôt mal au foie. Leurs mères ont pris le sentier de la guerre et cinquante-sept d'entre nous, les bonshommes, avons pris le maquis. Il m'arrive parfois de souhaiter que les Nations unies interdisent Noël.

27 décembre : C'est mon tour d'astiquer les cuivres, alors... Oh, et puis zut, je n'écris plus une ligne de ce truc. J'aurais dû savoir que le conseil d'Arthur ne valait rien. Je veux dire, qui pourrait bien avoir envie de lire nos petites aventures de la sacristie ? Je retourne à l'écriture de l'Histoire de ma Vie.

Si je l'avais continuée au lieu d'écouter Arthur, j'en serais sans doute, à l'heure qu'il est, au passage où je suis une souris cascadeuse à Hollywood, ou peut-être à l'épisode encore meilleur où je pars en expédition polaire et me fraye un chemin dans les blizzards, jusqu'aux sources de l'Amazone.

Arthur and Sampson's method : La méthode « Arthur et Samson » : learn english with humour l'anglais par l'humour

Notes pour mieux comprendre

* Les personnages principaux et le lieu de l'action
(N.B. : pour en savoir plus, lisez « Les souris de l'église » — The church mice —, le premier titre de la collection.)

Samson : *un chat débonnaire, compagnon et protecteur des souris, ayant fait vœu, à la suite de tous les sermons sur la fraternité qu'il a entendus, de ne jamais porter tort à son prochain, les souris en particulier.*

Les souris
Arthur : *c'est le pionnier, le premier habitant de l'église de Wortlethorpe et compagnon de Samson. C'est lui qui a permis aux autres souris de s'installer dans la sacristie de l'église et d'y jouir d'une vie confortable. Est réputé pour son sens pratique et son réalisme.*

Humphrey : *dit « le maître d'école ». Rendu pompeux et vaniteux par ses lectures érudites, aime s'exprimer par citations et proverbes.*

Le Pasteur : *aimable vicaire, anglican bien sûr, de l'église de Wortlethorpe. Célibataire. Ami de Samson et des souris.*

Wortlethorpe : *petite ville paisible, mais animée, comme il en existe beaucoup. Samson et les souris habitent dans la sacristie de son église, avec la bénédiction des paroissiens, reconnaissants aux animaux d'avoir pris sur le fait et capturé un voleur.*

Voici la traduction des premières lignes du manuscrit d'Humphrey, fautes d'orthographe incluses :
« LA VIE D'HUMPHREY - VOLUME I
LES ANNÉES DE FORMAS-SION
Sureman l'espri de poési a du effleurer de ses ailes mon maudeste berssô quand, extrêmement jeune, je suis né à... »

1. « A diary » : *Ou journal intime, est une forme d'expression littéraire prisée par les Anglo-Saxons, depuis le journal de « Pepys » au XVII*e *siècle. Or Pepys se prononçant curieusement « Peeps » en anglais, nous verrons, par ses notes du 1*er *février, que Humphrey a des lettres. Il a sûrement lu également le journal de Daniel Defoe et celui du capitaine Scott qui relate son expédition polaire.*

2. « Very uneventful » : *L'anglais aime la litote, cet art de suggérer le plus en disant le moins.*
Au lieu de dire « Il ne s'est rien passé », on dira « This day was uneventful » : cette journée n'a pas été pleine d'événements.
An eventful journey : un voyage plein d'aventures.
An uneventful journey : un voyage paisible.

3. « Jolly well » : *« Jolly » ou « pretty » servent à souligner un adverbe en le renforçant, dans la langue parlée :*
« Pretty well done : jolly well done ».
Ici les souris sont énervées :
— I don't want to ! : Je ne veux pas !

— But you jolly well have to ! : Tant pis, tu n'as pas le choix, tu dois le faire !

4. « Polishing the church brass » :** *Les pierres tombales à l'intérieur des églises anglaises sont souvent en cuivre, il faut donc les astiquer pour les faire reluire. Coquettes, les souris s'en servent souvent comme de miroirs.*

5. « To mess about » : *Expression très anglaise et difficilement traduisible.*
To mess up : déranger ou salir, selon le contexte.
To mess about : ne rien faire d'intéressant, se rendre importun, perdre son temps à faire des bêtises.

6. « A slight hiccup » : *Ici « hiccup » a un sens figuré, contretemps, incident. Au propre « to have a hiccup, » c'est avoir le hoquet.*

7. « Keen » : *Humphrey a évidemment un sens « aigu » de l'orientation, mais cet adjectif est fort utile dans d'autres contextes.*
A keen wind : un vent piquant ;
A keen interest : un vif intérêt ;

A keen footballer : *un joueur enthousiaste.*
« David is very keen on music » : *David aime beaucoup la musique.*

8. « An Optical Delusion » : *Jeu de mots avec « optical illusion ». « Delusion » veut dire « folie ».*

9. « Valentines » : *Grand jour de la vie de tout amoureux qui se respecte, surtout s'il est anglo-saxon. Saint Valentin étant le patron des amoureux, il est de tradition d'envoyer une carte, « a Valentine card », qu'il ne faut pas signer : à l'élu(e) de son cœur de deviner qui est l'expéditeur (trice).*
Le 14 février 1861, les postes anglaises avaient distribué plus de 47 750 cartes de la Saint-Valentin !

Lots of luv : « Love ». *Les farceurs ont bricolé pour Humphrey une carte qui a l'air d'être signée de la main princière de Diana.*

Yu are our Valentine

Yu are our Valentine :
« You are our Valentine », *tu es notre élu.*

10. « To smile a jaunty mouse-of-the-worldish kind... » : *Une des nombreuses expressions de ce paragraphe !*
On dit « a man of the world », un homme sophistiqué, d'où par analogie : « a mouse of the world », le suffixe « ish » donnant une nuance un peu ironique pour qualifier le sourire (« brown », brun ; « brownish », brunâtre).

11. « Come to think of it » : *Expression très idiomatique qui signifie « à propos, j'y pense »...*

12. « Kitewise » : *Humphrey est fin lettré, il sait jouer des suffixes comme « - wise » qui signifie « à la manière de, du côté de », selon le mot auquel il s'ajoute.*
Ex : Clockwise : *dans le sens des aiguilles d'une montre.* Otherwise : *d'une autre façon.*
« Healthwise, he's fine, but moneywise it could be better » : *question santé, cela va, mais côté finances cela pourrait être mieux.*

13. « Morale » : *Attention, faux ami ;* « To have a high or a low morale » : *avoir bon ou mauvais moral.*
mais « morality » : la moralité.
The moral of a tale : *la morale d'une histoire.*
A vous de vous y reconnaître.

14. « At a low ebb » : *Une expression qui évoque le monde maritime, comme l'aiment les Anglais ;* « at low ebb » : *à marée basse.*
Ebb and flow : *le flux et le reflux.*

15. « Royalty is much too busy opening dog shows and parliaments » : *Chaque année, après les congés parlementaires, c'est le monarque qui, en tenue d'apparat, préside à l'ouverture de la nouvelle session du Parlement.*

16. « All the sloppy carryings-on » : *Exemple de formation d'un substantif à partir d'un verbe.* « To carry on » : *continuer, mais aussi : se comporter d'une manière un peu agaçante.*
« The way he carries on, one would think he's a prince » :
A le voir agir, on croirait bien que c'est un prince.

17. « A May Queen » : *Chaque saison apporte une moisson de coutumes. Le mois de mai est tout particulièrement riche en fêtes fleuries : l'Arbre de Mai était planté par les jeunes gens du village, qui « tournaient le Mai » (dansaient autour) et qui, ensuite, allaient « faire le Mai », accrocher une couronne de fleurs ou de fruits à la fenêtre de leur belle. La Reine de Mai défilait le premier dimanche du mois, vêtue de blanc et parée de fleurs.*

18. « Sticklers for details » : *Mot à mot, rigide sur les détails.*
« I am no stickler for discipline, I am no stickler for authority » : *Je n'insiste pas trop sur la discipline, je ne tiens pas trop à l'autorité.*

19. « To laze about » : Lazy *paresseux,* to laze *paresser.*

20. Team sports : *Sports d'équipe. Mais attention, on dira « a sport team », une équipe de sport ; il faut penser à inverser avant de traduire les mots composés.*

21. To stop carrying on about : *Nouvelle présentation du verbe, déjà rencontré,* « to carry on » : *continuer.*
Ici : radoter, maugréer au sujet de quelque chose.

22. « Kiss in the ring... » : *Correspond à « Entrez dans la danse... », « Les lauriers sont coupés » et autres chansons de ronde.*
« I spy » : *vous repérez un objet dont vous donnez la première lettre et que vos amis doivent deviner. A vous de jouer !*

23. Cricket : *Plus qu'un sport, une institution ! Nous voyons les souris s'entraîner près de la tombe. La batte (« bat ») sert à frapper la balle, qui est en cuir et très compacte ; les trois bouts de* bois surmontés de deux autres (les « stumps ») forment le « wicket », que le lanceur de balle (« bowler ») essaie de faire tomber malgré la défense du « batsman » de l'équipe adverse, qui essaie de frapper la balle avec sa batte. Le « bowler », le « wicket-keeper » (gardien du « wicket ») et les « fielders » (les autres joueurs, répartis sur le terrain, et qui attrapent la balle au vol) font partie de la même équipe, qui compte en tout onze joueurs. Les deux « batsmen » viennent de l'équipe adverse, qui jouera à son tour contre les deux « batsmen » de la première équipe. Une partie dure un après-midi, une journée, quelquefois, en championnat, plusieurs jours. Quand il a trop chaud, un joueur donne son chandail à l'arbitre, qui peut se retrouver à porter les pulls de toute l'équipe : c'est ainsi que notre souris-arbitre est reconnaissable au chandail blanc noué à sa taille. Sur la tombe, nous voyons gravé « Rest in Peace » : Qu'il repose en paix.

24. « Pet shop » : *Chacun connaît l'amour des Britanniques pour les animaux familiers de tous poils et les magasins abondent outre-Manche où l'on peut acheter chatons et poissons rouges, hamsters ou jeunes chiots, et les accessoires dont ils ont besoin.*

25. « Flopping about » : *Comme « to laze about », « to flop about » insiste sur le peu d'énergie du personnage !*

26. « Burbling » : *Onomatopée d'un bruit de ruisseau.*

27. Le « Common » de Wortlethorpe : *En Angleterre comme chez nous, chaque ville ou village possédait un « Common » ou « pré communal » où tous pouvaient faire paître leurs troupeaux. Le cadastre anglais a gardé plus que nous ce nom dans les quartiers autrefois réservés à cet usage. Les « commons » sont souvent devenus parcs ou prairies ouverts au public, aux joueurs de ballon ou de cricket.*
A noter les détails de la salle de bains : Incense : *encens.* Clerical after-shave : *l'after-shave du clergé.* Smarm : *visqueux, obséquieux.*

28. « Hallowe'en » : *Le 31 octobre, c'est la grande « fête des sorcières », dont la tradition est vivace surtout pour les Anglais et les Américains.*

Rien de plus efficace contre les esprits malins que de faire « a Jack o' lantern » en découpant une citrouille, et d'allumer une bougie pour projeter des ombres fantastiques sur le mur des voisins. Gare aux sorcières, cette nuit sera longue ! D'ailleurs l'expression « scaring the wits out of Sampson » veut bien dire « lui faire peur au point de faire sortir ses esprits ». Les enfants vont de porte en porte criant « Trick or treat ! » : friandise ou surprise. Si vous répondez « Treat ! » vous devez leur donner un bonbon ou une pièce, et si vous répondez « Trick ! » ils vous joueront un tour de leur choix.

29. « Guy Fawkes Day » : « Remember, remember The fifth of November, Gunpowder, treason and plot !... »
C'est le 5 novembre 1605 qu'un fervent catholique, Guy Fawkes, tenta de faire sauter le Parlement avec... 36 barils de poudre. Les gardes de Jacques Ier le surprirent, et il fut pendu en public. Cette date demeure une fête nationale populaire et les enfants allument des feux de joie et font partir de multiples pétards.

30. « It's a bit gooey » : *Exemple d'adjectif qui dit bien ce qu'il veut dire : collant, poisseux (comme du caramel mou).*

31. « Such a fuss about » : *Expression courante.* What a fuss ! *quelle histoire !* Why do you make such a fuss ? *Pourquoi fais-tu tant d'embarras ?*

32. « Carol singing » : *Les chorales de Noël sont toujours de tradition et « The First Noel » un des chants les plus repris : même les étudiants d'université vont de porte en porte faire leur sérénade, généralement mieux accueillie que celle des souris ! On dit qu'à l'origine, la « carole » était la farandole que l'on avait le droit de danser dans les églises en France le jour de Noël seulement.*

33. « In double-quick time » : *Expression militaire qui signifie marcher deux fois plus vite.*

34. « Tested them for flavour » : *Comme le ferait un goûteur professionnel.*

35. « All doling out presents » : *Vieille expression,* « the dole » *étant l'institution charitable qui distribuait les aumônes. Maintenant* « to be on the dole » *veut dire : être au chômage.*